Les Comptines

1. Ah ! les crocodiles - 2'17
2. Bateau sur l'eau - 1'04
3. Coccinelle demoiselle - 1'33
4. Le grand cerf - 1'18
5. Les petits poissons - 1'36
6. Mon petit lapin - 1'24
7. Ainsi font font font - 1'35
8. Petit escargot - 1'24
9. Un petit pouce qui danse - 1'58
10. Pomme de reinette - 1'14
11. Tourne tourne petit moulin - 1'47
12. Une souris verte - 1'36
13. La marche des éléphants - 2'24

+ les versions instrumentales

C'est pour un dessin ou une dédicace

LA FABRIQUE à Comptines

Décors
Élisa Granowska

Musique
Małe Instrumenty

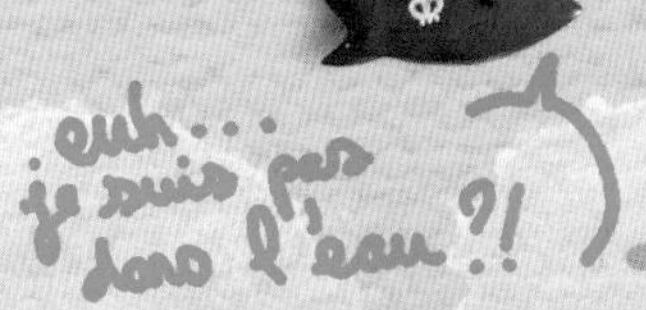

Le Sommaire

AH! les crocodiles

SUR LES BORDS DU NIL...

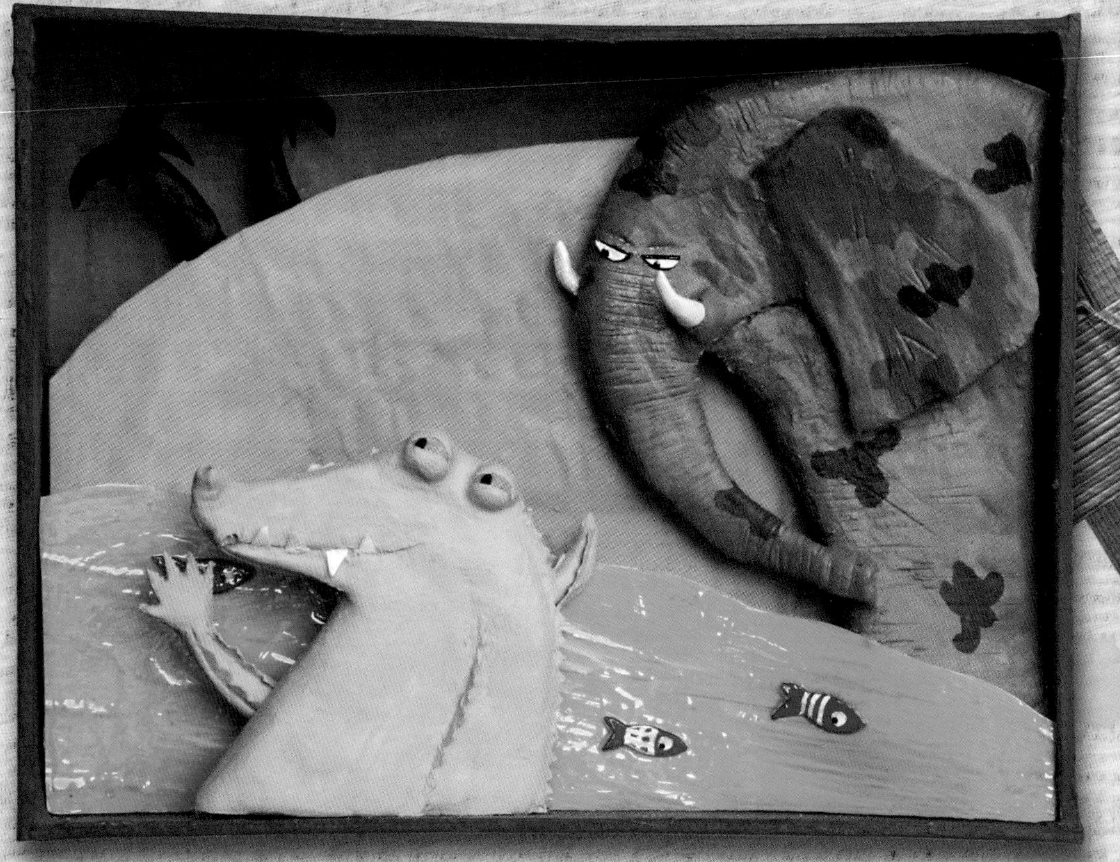

ILS SONT PARTIS...

Un crocodile s'en allant à la guerre
Disait au revoir à ses petits-enfants.
Traînant ses pieds, ses pieds dans la poussière,
Il s'en allait combattre les éléphants.

AH les cro cro cro, les crocrocro, les crocodiles.
Sur les bords du Nil,
Ils sont partis n'en parlons plus.
(bis)

Un éléphant parut, et sur la terre
Se prépara un combat de géants,
Mais près de là courait une rivière,
Le crocodile s'y jeta subitement.

AH les cro cro cro, les crocrocro, les crocodiles.
Sur les bords du Nil,
Ils sont partis n'en parlons plus.
(bis)

ON EN PARLE +

Bateau sur l'eau

La rivière, la rivière

Bateau sur l'eau

La rivière, et **PLOUF** dans l'eau.

BATEAU sur l'eau

coccinelle DEMOISELLE

ELLE BOUGE

ELLE ATTEND

COCCINELLE
AU REVOIR

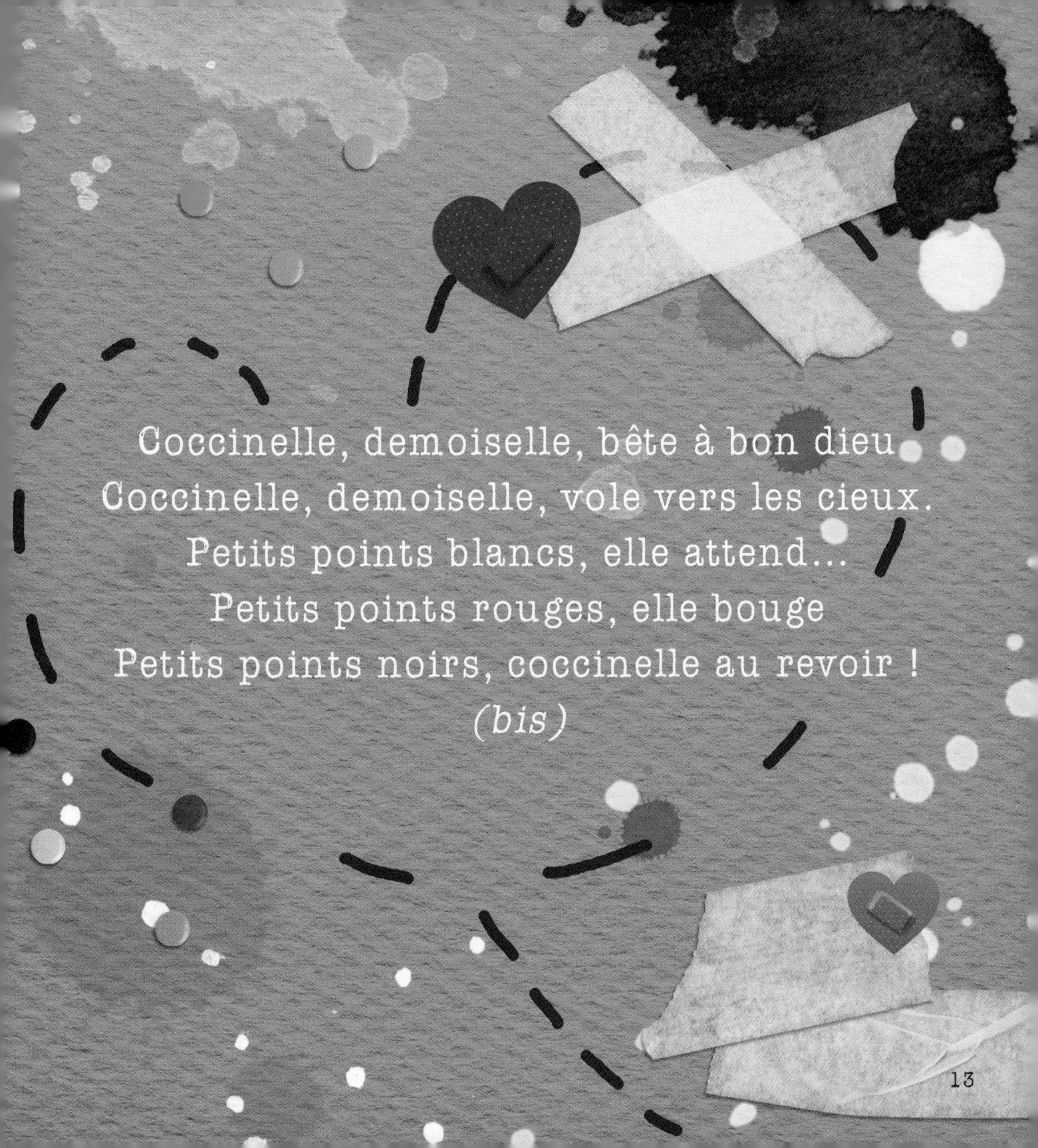

Coccinelle, demoiselle, bête à bon dieu
Coccinelle, demoiselle, vole vers les cieux.
Petits points blancs, elle attend...
Petits points rouges, elle bouge
Petits points noirs, coccinelle au revoir !
(bis)

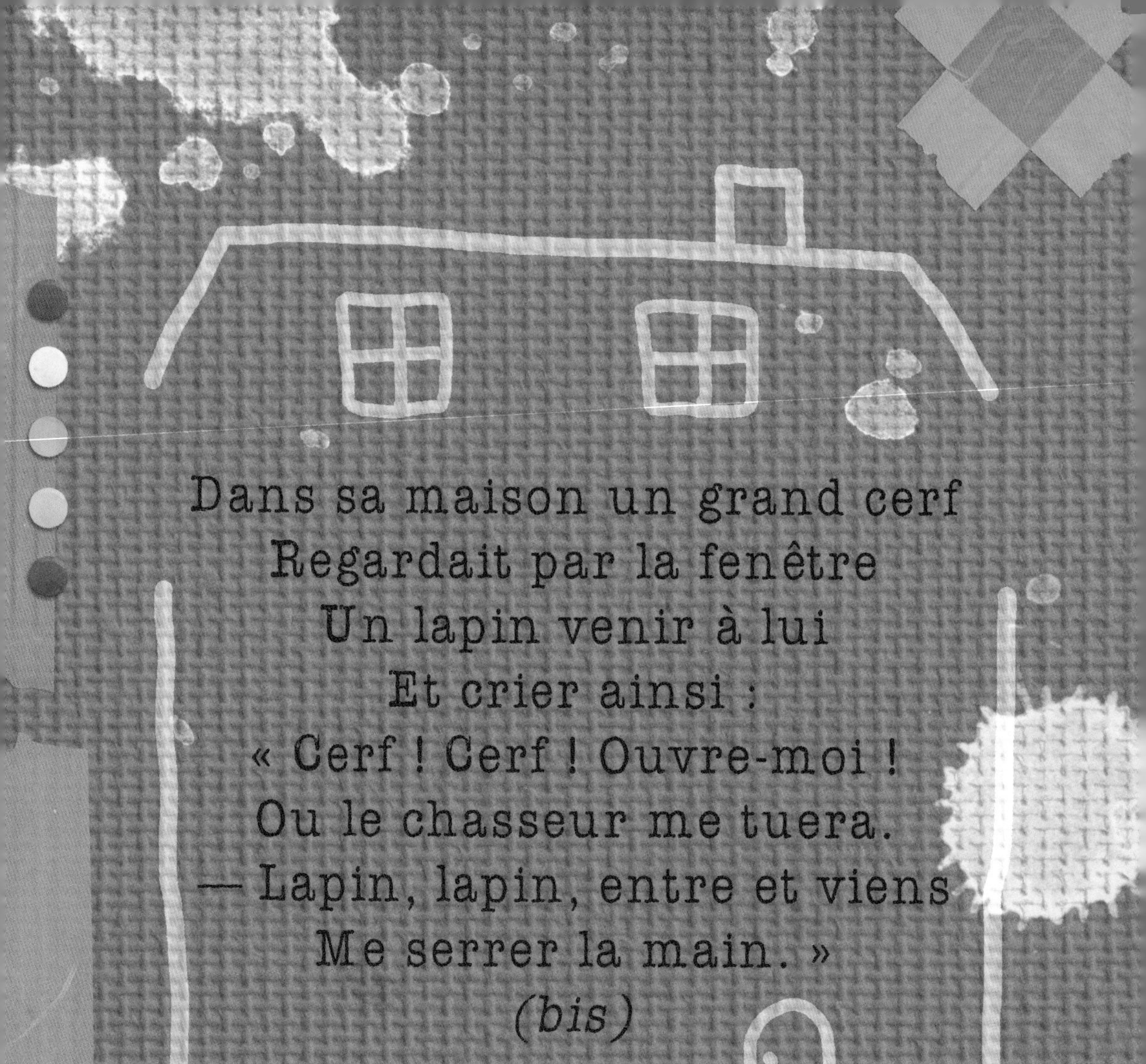

Dans sa maison un grand cerf
Regardait par la fenêtre
Un lapin venir à lui
Et crier ainsi :
« Cerf ! Cerf ! Ouvre-moi !
Ou le chasseur me tuera.
— Lapin, lapin, entre et viens
Me serrer la main. »
(bis)

le GRAND cerf

PAN

UN TRÈS GRAND CERF

UN PETIT TOUT PETIT LAPIN

LES petits poiSSons

LES PETITS

Les petits poissons dans l'eau,
Nagent, nagent, nagent, nagent, nagent…
Les petits poissons dans l'eau,
Nagent aussi bien que les gros.

Les petits, les gros nagent comme il faut !
Les gros, les petits nagent bien aussi.

NAGENT

Les petits poissons dans l'eau,
Nagent, nagent, nagent, nagent, nagent…
Les petits poissons dans l'eau,
Nagent aussi bien que les gros.

Les petits, les gros nagent comme il faut !
Les gros, les petits nagent bien aussi.

Les petits poissons dans l'eau,
Nagent, nagent, nagent, nagent, nagent…
Les petits poissons dans l'eau,
Nagent aussi bien que les gros.

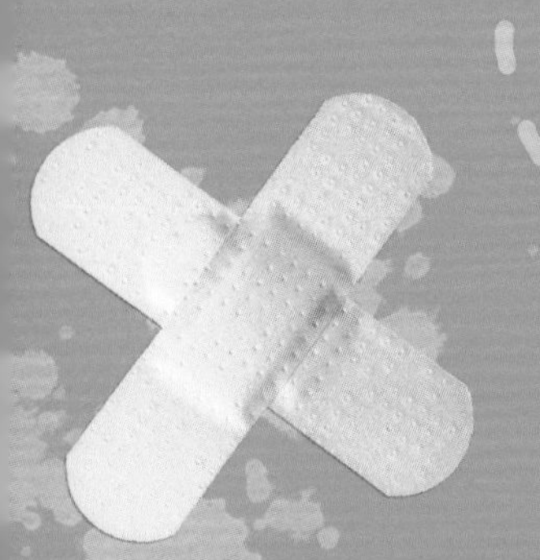

LES GROS

Mon petit lapin
S'est sauvé dans le jardin.
Cherchez-moi, coucou, coucou,

Remuant son nez,
Il se moque du fermier.
Cherchez-moi, coucou, coucou,
Je suis caché sous un chou. *(bis)*

Frisant sa moustache,
Le fermier passe et repasse.
Mais il ne voit rien du tout,
Le lapin mange le chou. *(bis)*

mon PETIT lapin

JE SUIS LÀ

AINSI font FONT font

ELLES SAUTENT LES MARIONNETTES !

Ainsi font, FONT, font,
Les petites marionnettes,
Ainsi font, font, font,
Trois p'tits tours et puis s'en vont.
Les mains aux côtés,
Sautez, sautez, marionnettes
Les mains aux côtés,
Marionnettes, recommencez.

3 PETITS TOURS ET PUIS S'EN VONT.

Ainsi font, font, FONT,
Les petites marionnettes,
Ainsi font, font, font,
Trois p'tits tours et puis s'en vont.
Mais elles reviendront,
Les petites marionnettes,
Mais elles reviendront,
Quand les enfants dormiront.

x2

Petit escargot
Porte sur son dos
Sa maisonnette.
Aussitôt qu'il pleut
Il est tout heureux
Il sort sa tête.
(bis)

JE SUIS HEUREUX SOUS LA PLUIE

PETIT escargot

un petit pouce QUI danse

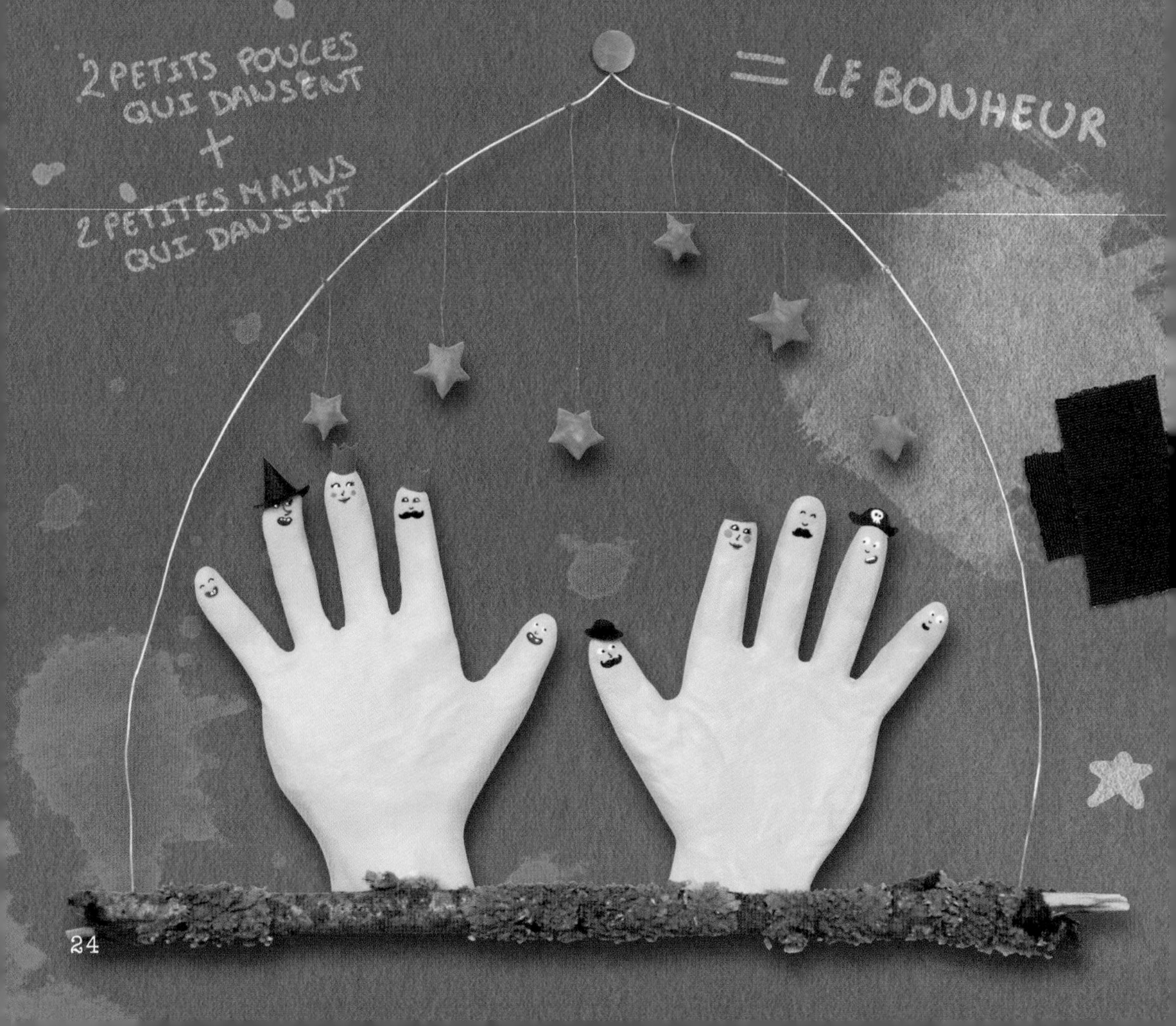

2 PETITS POUCES QUI DANSENT
+
2 PETITES MAINS QUI DANSENT
= LE BONHEUR

Un petit pouce qui danse,
Un petit pouce qui danse,
Un petit pouce qui danse,
Et ça suffit pour être heureux.

Deux petits pouces qui dansent,
Deux petits pouces qui dansent,
Deux petits pouces qui dansent,
Et ça suffit pour être heureux.

Une petite main qui danse,
Une petite main qui danse,
Une petite main qui danse,
Et ça suffit pour être heureux.

Deux petites mains qui dansent,
Deux petites mains qui dansent,
Deux petites mains qui dansent,
Et ça suffit pour être heureux.

Deux petits pouces qui dansent,
Deux petits pouces qui dansent,
Deux petits pouces qui dansent,
Et ça suffit pour être heureux.

Deux petites mains qui dansent,
Deux petites mains qui dansent,
Deux petites mains qui dansent,
Et ça suffit pour être heureux.

x2

Pomme de reinette et pomme d'api
Tapis tapis ROUGE,

Pomme de reinette et pomme d'api
Tapis tapis GRIS.

(bis)

Pomme de reinette et pomme d'api
Tapis tapis ROUGE,

Pomme de reinette et pomme d'api
Tapis tapis GRIS.

x2

(bis)

Pomme de reinette

TOURNE petit MOULIN tourne

Tourne, tourne petit moulin,
Tapent, tapent petites mains,
Vole, vole petit oiseau,
Nage, nage poisson dans l'eau.

Petit moulin a bien tourné,
Petites mains ont bien tapé,
Petit oiseau a bien volé,
Petit poisson a bien nagé.

(bis)

IL FAIT TROP CHAUD

Une souris verte
Qui courait dans l'herbe,
Je l'attrape par la queue,
Je la montre à ces messieurs,
Ces messieurs me disent :
« Trempez-la dans l'huile,
Trempez-la dans l'eau,
Ça fera un escargot
Tout chaud ! »

Je la mets dans mon tiroir,
Elle me dit qu'il fait trop noir,
Je la mets dans mon chapeau,
Elle me dit qu'il fait trop chaud.

Une souris verte
Qui courait dans l'herbe,
Je l'attrape par la queue,
Je la montre à ces messieurs,
Ces messieurs me disent :
« Trempez-la dans l'huile,
Trempez-la dans l'eau,
Ça fera un escargot
Tout chaud ! »

Je la mets dans mes grandes poches,
Elle me dit :« elles sont trop moches ».
Je la mets dans ma culotte,
Elle me fait trois petites crottes.

Une souris verte
QUI COURAIT dans l'herbe.

une SOURIS verte

DANS
LA POCHE

LA MARCHE des éléphants

ILS FONT TOUS

« POUM PAPOUM PAPOUM PADÈRE
POUM PAPOUM PAPOUM PADA »

Dans la forêt,
il y a une FAMILLE éléphant qui se promène.

Il y a le PAPA éléphant qui fait :
« Poum papoum papoum padère
Poum papoum papoum pada. » *(bis)*

Il y a la MAMAN éléphant qui fait :
« Poum papoum papoum padère
Poum papoum papoum pada. » *(bis)*

Et il y a le BÉBÉ éléphant qui fait :
« Poum papoum papoum padère
Poum papoum papoum pada. » *(bis)*

LES INSTRUMENTS DE MUSIQUE

LA CITHARE

La version jouet de cet instrument est allemande, et date de 1976. Elle se joue en pinçant les cordes avec les doigts.
Une clé spéciale est nécessaire pour accorder la cithare.

LE SIFFLET SIRÈNE

Dans le passé, c'était le sifflet utilisé par les policiers.
Deux petites billes trouées tournent très rapidement à l'intérieur lorsque l'on souffle dans le sifflet, et provoquent un son très strident.

Il suffit de tourner la manivelle pour actionner un rouleau de métal qui peut jouer jusqu'à trois sons simultanément.
En 2012, Małe Instrumenty a enregistré un album avec 62 boîtes à musique différentes, et le CD est présenté… dans une boîte à musique !

LA BOÎTE À MUSIQUE

LE PIANO

Ce piano jouet fonctionne grâce à l'action de marteaux qui viennent frapper des lames métalliques, c'est le principe du métalophone. Le modèle utilisé par Małe Instrumenty a été fabriqué en République démocratique allemande dans les années 60.

L'INSTRUMENT DE PERCUSSION « TAN-TAN »

Cet instrument s'agite de droite à gauche en effectuant une rotation du poignet. Le mouvement des deux petites boules provoque un son lorsqu'elles frappent la peau tendue sur le cadre de bois.

BOÎTE À MUSIQUE « POULE »

En tournant la petite manivelle, cette boîte à musique produit un son proche de celui de la poule. Cet instrument jouet est fait d'un assemblage de carton et de pièces métalliques. Il a été fabriqué aux États-Unis dans les années 50.

LA FLÛTE HYDRAULIQUE

Les différentes parties de la flûte s'assemblent ou se désassemblent pour allonger ou raccourcir le corps de l'instrument, selon que l'on recherche un son grave ou aigu.

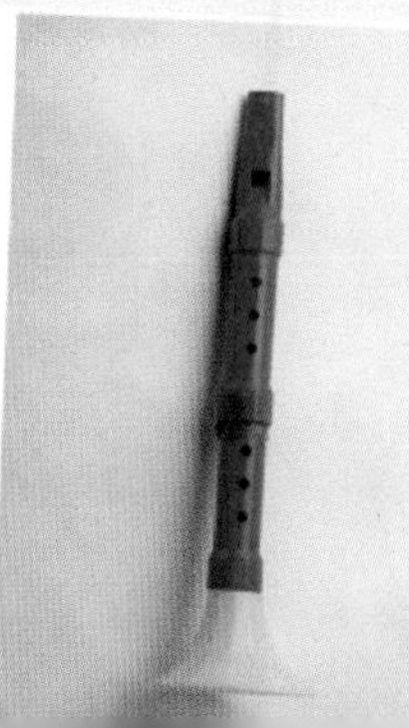

LA « BOÎTE À SECOUER »

Il s'agit d'une simple boîte cylindrique en métal, pleine de minuscules billes métalliques. Cet instrument à percussion a été conçu aux États-Unis dans les années 60.

LA GUITARE EN PLASTIQUE

Cette guitare est un jouet populaire très simple : elle se compose d'un corps en plastique et de quatre cordes en nylon.
Accorder cet instrument est très délicat : on peut obtenir une mélodie approchant l'air que l'on veut jouer mais jamais l'air parfait.

LE TUBE À TONNERRE

Il suffit de secouer ce tube de carton en laissant la cordelette libre pour reproduire le son du tonnerre.

LES ŒUFS SONORES

Cet instrument à percussion, en bois ou en plastique, fonctionne généralement par paire. Les œufs sont remplis de sable ou de toutes petites billes qui s'entrechoquent lorsqu'on secoue les instruments.

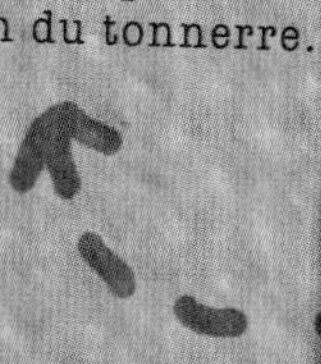

LE CLARINA

Cet instrument à vent fait partie des nombreux instruments à anche, comme l'harmonica, le saxophone ou le hautbois. Il tire son nom de sa forme qui ressemble à une clarinette. Le modèle utilisé par les Małe Instrumenty a été fabriqué dans les années 60 en République démocratique allemande.

LE CASIO* CLUB M-100

Ce clavier fut l'un des tout premiers commercialisés pour le grand public. Chose rare, il permet de créer automatiquement des modulations à partir d'une même mélodie.

*Casio est une marque déposée par la société Casio Computer Co; Ltd.

L'AIR GUITARE

Ce jouet électronique est doté de différentes touches et d'un laser. Il a été récemment inventé au Japon, après l'engouement créé par les concours d'air guitare qui consistent à mimer un guitariste en plein concert de rock !

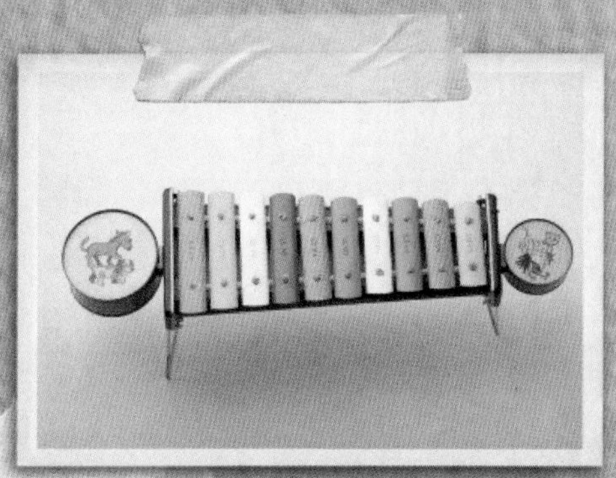

LE GLOCKENSPIEL

Cet instrument de musique à percussion est composé de lames de métal que l'on fait vibrer. Le modèle des Małe Instrumenty a, en plus, un petit tambour à chaque extrémité.

LES ANIMAUX EN CAOUTCHOUC

Ce jouet est bien connu des bébés : il suffit de presser l'animal pour qu'il produise un son familièrement appelé « pouette pouette ». Chaque animal émet un bruit particulier car les sifflets intégrés sont différents.

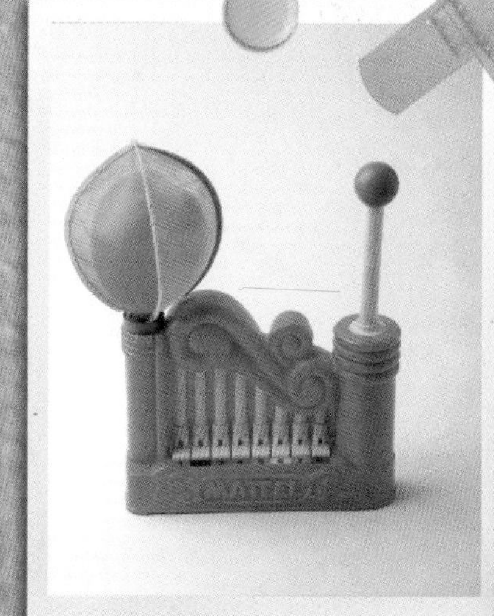

LE CALLIOPÉ

Dans un vrai calliopé, c'est le gaz, ou la vapeur, envoyé dans de grands sifflets qui produit les sons. Celui des Małe Instrumenty est une version jouet où il faut remplir un ballon d'air pour alimenter les sifflets.

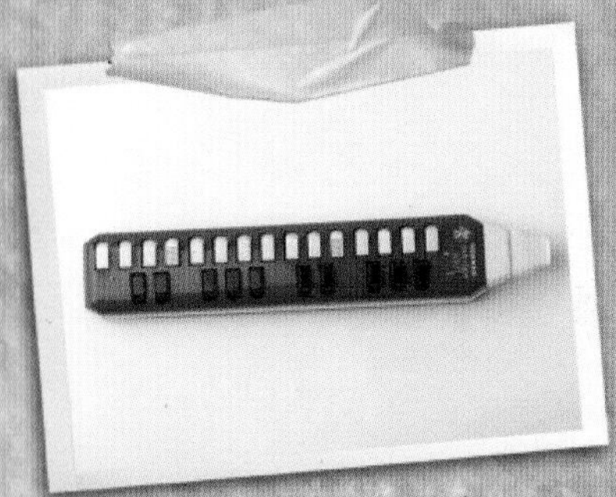

LE MÉLODICA*

La sonorité de cet instrument est très proche de l'harmonica, dont il se différencie par la présence d'un clavier.
Le mélodica a été le tout premier instrument du groupe Małe Instrumenty.

*Marque internationale déposée par Matth. Hohner Aktiengesellschaft

LES BOOMWHACKERS

Les boowmhackers sont de gros tubes en plastique que l'on fait résonner en les frappant par terre, entre eux ou avec une mailloche. Chaque couleur correspond à une note précise, car ces instruments sont très justement accordés et permettent de reproduire parfaitement des mélodies.

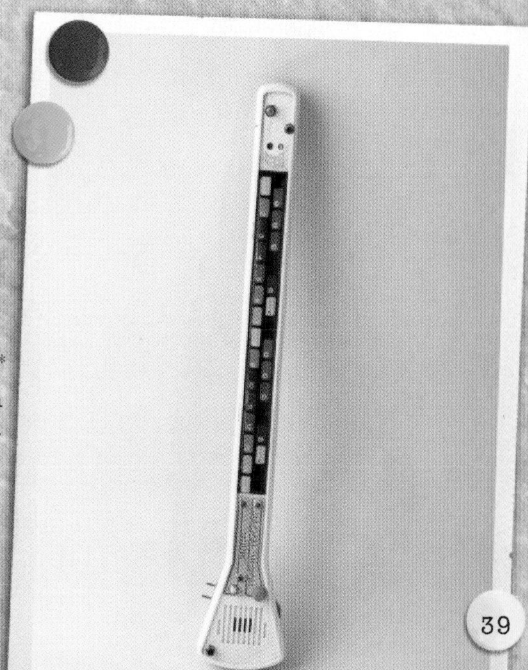

MAGICAL MUSICAL THING*

Ce jouet est un mélange entre un clavier et une guitare électrique. Des touches colorées sont disposées sur le manche. La sonorité très électronique donne un effet « cosmique ».

*Le « magical musical thing » a été créé par la société Mattel en 1978.

LUCE

Luce est une toute jeune artiste
à l'univers fantasque et
DÉLIRANT.
Elle arrive tout droit de Peyrestortes,
petit village du côté de Perpignan.

En octobre 2009, Luce s'inscrit au casting de « La Nouvelle Star » de M6, avec pour seul espoir celui de rire et de passer à la postérité dans les **« CASSEROLES »** de l'émission. C'était sans compter sur son talent et sa personnalité hors normes qui vont immédiatement attiser la curiosité du jury.
Luce gagne la finale de Nouvelle Star en 2010 et sort son album « Première phalange ».

http://www.lescouleursdeluce.com

Małe Instrumenty est un groupe décalé de **5** musiciens polonais, créé en 2006 par Paweł Romańczuk. Ils utilisent des instruments de musique professionnels miniatures, mais également de nombreux

JOUETS INSTRUMENTS :

percussions en tout genre, accordéon, guitare, flûtiaux...
La collection d'instruments de Male Instrumenty compte environ 500 pièces, dont la sonorité de chacune est explorée pour en obtenir la musicalité la plus inattendue et décalée.
Les concerts mêlent compositions, projections d'extraits de films et improvisations.
Contre toute attente, c'est aux adultes que le groupe s'adresse avant tout, mais ils ont fait exception pour le livre-disque « La Fabrique à comptines ».

LE GROUPE MAŁE INSTRUMENTY

Les Małe Instrumenty parcourent l'Europe et volent de festival en festival :
Festival d'Ile-de-France, Nancy Jazz Pulsation, Supersonic, Skiff Festival...

http://maleinstrumenty.pl

34, quai Saint-Cosme 71100 Chalon-sur-Saône.
Conforme à la loi n°49.956 du 16 juillet 1949
sur les publications destinées à la jeunesse.
ISBN : 978-2-35366-169-5
Dépôt légal : juillet 2012
Imprimé en Union européenne

www.eveiletdecouvertes.fr
Rejoignez-nous sur Facebook !